FREIBURG

IM BREISGAU

Mit Fotografien von Ralf Brunner
und Texten von Peter Kalchthaler

Medien-Verlag Schubert

ISBN 978-3-937843-17-9

© Copyright 2008 by Medien-Verlag Schubert, Hamburg.
Alle Rechte, auch des auszugsweisen Nachdrucks und der
fotomechanischen Wiedergabe, vorbehalten.
Konzeption / Layout: Uwe Schubert / Florian Salis
Englische Übersetzung: Adelheid Kaessens
Französische Übersetzung: Mylandris, Paris
Printed in Germany

Inhalt

Vom Schlossberg reicht der Blick über das Zentrum von Freiburg, den Stühlinger und die Stadtteile im Westen bis zum Kaiserstuhl und zu den Vogesen.

The view from Schlossberg reaches across the centre of Freiburg, the Stühlinger and the districts in the west all the way to the Kaiserstuhl and to the Vosges.

Point de vue du Schlossberg sur le centre ville de Fribourg, le quartier Stühlinger et les quartiers ouest, ainsi que sur le Kaiserstuhl et les Vosges.

FREIBURG IM BREISGAU
900 JAHRE STADTGESCHICHTE AUF EINEN BLICK

Die Geschichte der Stadt Freiburg beginnt im hohen Mittelalter, als sich die ursprünglich aus dem Schwäbischen stammenden Herzöge von Zähringen entschlossen, auf dem heutigen Schlossberg einen neuen Stammsitz zu errichten. Zu dessen Füßen entstand noch vor dem Jahr 1100 eine Siedlung als Kern der zukünftigen Stadt, die 1120 das Marktrecht erhielt. Wenige Jahre später war der Bereich der heutigen inneren Altstadt aufgebaut, besaß eine Mauer mit fünf Toren und eine erste steinerne Pfarrkirche auf dem heutigen Münsterplatz.

Der letzte Zähringerherzog Bertold V. initiierte den Neubau des Münsters als Grablege, in der er nach seinem Tod 1218 beigesetzt wurde. Da er keine männlichen Nachkommen hinterlassen hatte, trat sein Neffe Egino von Urach als „Graf von Freiburg" die Herrschaft über die Stadt und den Breisgau an. In die Zeit der Grafen fällt das Streben der auf etwa 8.000 Seelen

Ideale Ansicht Freiburgs um das Jahr 1218.
Zeichnung von Karl Gruber, 1944.

Ideal view of Freiburg in about the year 1218.
A drawing by Karl Gruber, 1944.

Vue idéale de Fribourg vers 1218. Dessin de Karl
Gruber, 1944.

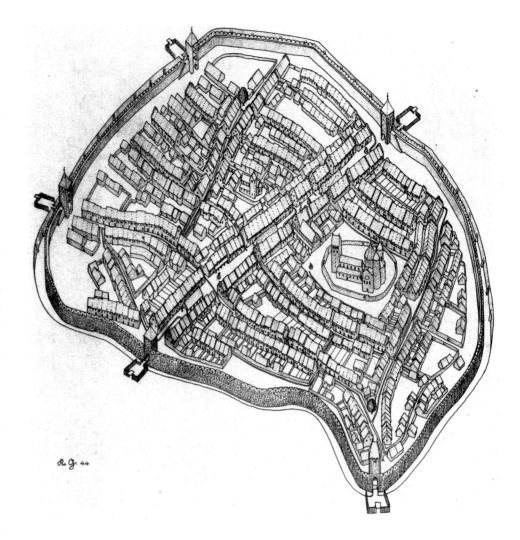

angewachsenen Bürgerschaft, stärker an der Verwaltung der Stadt beteiligt zu werden. Insbesondere die in Zünften zur Stadtverteidigung zusammengeschlossenen Handwerker suchten den Adel aus der Stadtherrschaft zu verdrängen und sich ein größeres Gewicht im Rat zu verschaffen. Den meist hochverschuldeten Grafen konnten nach und nach wichtige Rechte abgekauft werden und Ende des 14. Jahrhunderts mündete der schwelende Konflikt in offenen Kämpfen zwischen Bürgerschaft und Stadtherren. 1368 schließlich konnten sich die Freiburger durch Zahlung von 15.000 Mark Silber aus der gräflichen Herrschaft lösen und begaben sich freiwillig in den Schutz des Hauses Habsburg, dem Freiburg nun bis 1798 angehören sollte.

Eine anhaltende Wirtschaftskrise, die durch die enorme Ablösesumme noch verstärkt wurde, und die um 1370 sogar zur Einstellung des wenige Jahre zuvor begonnenen Chorneubaus am Münster geführt hatte, wurde nach der Mitte des 15. Jahrhunderts überwunden. Die Gründung der Universität

durch den Habsburger Albrecht VI. von Österreich 1457 ist ebenso als gezielte Wirtschaftsförderungsmaßnahme zu sehen wie die Einberufung des Reichstages nach Freiburg durch König Maximilian I. in den Jahren 1497 und 1498. Schon 1471 war der Chorneubau des Münsters wiederaufgenommen worden, 1513 folgte die Schlussweihe. An der Universität lernten und lehrten

einige der bedeutenden oberrheinischen Humanisten, einer von ihnen, Ulrich Zasius, verfasste das neue Stadtrecht, das 1520 in Kraft trat und im Kern bis 1806 gültig blieb. Mit der von einem Bildersturm begleiteten Einführung der Reformation in Basel 1529 kamen zahlreiche Flüchtlinge in die katholisch gebliebene Habsburgerstadt, darunter der berühmte Gelehrte Erasmus von Rotterdam. Das Basler Domkapitel und der Weihbischof blieben fast 150 Jahre in der Stadt und nutzten das Münster als Exilkathedrale.

Blick auf Freiburg von Süden. Kolorierter Holzschnitt von Hans Rudolf Manuel, gen. Deutsch, 1549. Aus der „Cosmographey" von Sebastian Münster, Basel 1550.

A view of Freiburg from the south. Coloured woodcut by Hans Rudolf Manuel, called Deutsch, 1549. Out of „Cosmographey" by Sebastian Münster, Basle 1550.

Vue de Fribourg du sud. Gravure sur bois en couleurs de Hans Rudolf Manuel, dit Deutsch, 1549. Tiré de „Cosmographey" de Sebastian Münster, Bâle, 1550.

Stadt und Festung Freiburg. Kol. Kupferstich von Tobias Conrad Lotter, verlegt bei Matthaeus Seutter, Augsburg, nach 1713.

Freiburg - town and fortress. Coloured copperplate by Tobias Conrad Lotter, published by Matthaeus Seutter, Augsburg, after 1713.

Ville et fortifications de Fribourg. Gravure sur cuivre en couleurs de Tobias Conrad Lotter. Édité par Matthaeus Seutter, Augsburg, après 1713.

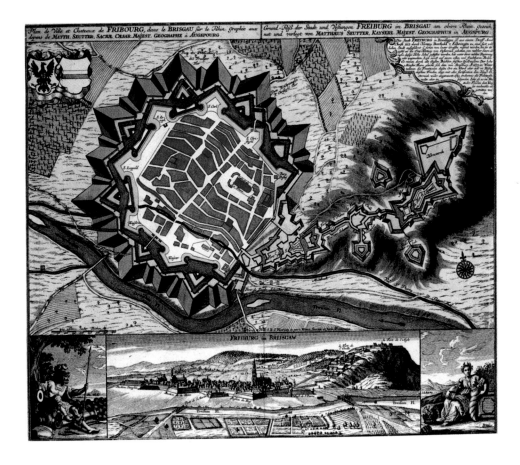

Am Ende des 16. Jahrhunderts liegt das traurige Kapitel der Hexenverfolgung, deren Höhepunkt in Freiburg die Jahre 1599/1600 bilden. Der 30-jährige Krieg erreicht Freiburg spät, 1632 wurde es erstmals von den Schweden besetzt und wechselte in der Folge mehrmals den Besitzer. Um die Befreiung Freiburgs aus französischer Hand tobte 1644 eine blutige Schlacht am Schlierberg. Das Ende des Krieges rückte Freiburg nahe an die Grenze zum Feind Frankreich, denn das Elsass war 1648 französisch geworden. Anstelle des elsässischen Ensisheim war es zur vorderösterreichischen Hauptstadt geworden.

Im Jahr 1677 eroberte Ludwig XIV. Freiburg und hielt es 20 Jahre lang besetzt. Sein Festungsbaumeister Sébastien Le Prestre

de Vauban baute Stadt und Schlossberg zu einer hochmodernen Festung aus. Nach der Rückgabe ans Reich 1697 wurde Freiburg noch zweimal – 1713 und 1744 – von Franzosen belagert und eingenommen, vor dem endgültigen Abzug seiner Truppen 1745 ließ Ludwig XV. die gewaltige Festungsanlage systematisch schleifen. Wenige Jahre später schlossen Österreich und Frankreich

Frieden, besiegelt 1770 durch die Heirat der Kaisertochter Marie Antoinette und des Kronprinzen Louis Auguste. Das durch die Funktion als Festung und Garnison eingeschränkte Leben der Stadt verlief nun für einige Jahre in ruhigeren Bahnen. Maria Theresia und ihr Sohn Kaiser Joseph II. führten zahlreiche Reformen der Verwaltung, der Universität und des kirchlichen Lebens durch, die nicht immer einfach waren, sahen sie doch eine Konzentration der Staatsmacht in Wien zu Ungunsten der regionalen Autoritäten vor. Nach den Abwehrkämpfen

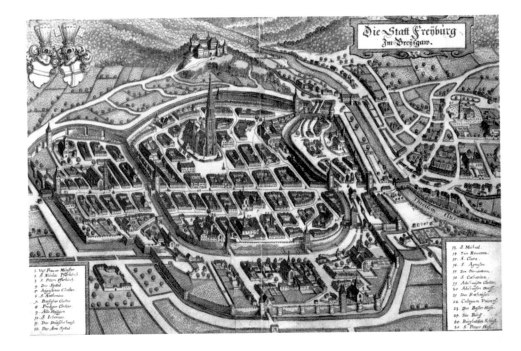

Freiburg um 1600. Kol. Kupferstich und Radierung von Matthäus Merian d.Ä. aus seiner „Topographia Alsatiae", Frankfurt am Main 1644.

Freiburg around 1600. Coloured copperplate and etching by Matthäus Merian Senior from his „Topographia Alsatiae", Frankfurt am Main 1644.

Fribourg vers 1600. Gravure sur cuivre en couleurs de Matthaeus Merian d.Ä., dans son ouvrage „Topographie de l'Alsace", Marseille, 1981.

gegen die aus Frankreich über den Rhein dringenden Revolutionstruppen endete die Zugehörigkeit Freiburgs zu Habsburg: die Stadt wurde 1798 dem Herzog von Modena zugesprochen und fiel nach dem Ende des Heiligen Römischen Reichs schließlich 1806 an den von Napoléon zum Großherzog eines neu geschaffenen Staates erhobenen Markgrafen und Kurfürsten Karl Friedrich von Baden.

Die Einwohner der ehemaligen vorderösterreichischen Hauptstadt standen der neuen Herrschaft reserviert gegenüber. Man fürchtete den Verlust von Zentralität, die Schließung der Universität und Nachteile als katholische Region unter einem protestantischen Fürsten. Doch Freiburg blieb Verwaltungssitz und durfte sich neben der Residenz Karlsruhe und Mannheim „Hauptstadt" nennen. Die Bestandsgarantie für die Hochschule wurde von Großherzog Ludwig 1820 ausgesprochen – dankbar nahm die Universität daraufhin den Namen des Monarchen an. Ludwig setzte sich auch erfolgreich für die Errichtung des neuen Bischofssitzes anstelle von Konstanz in Freiburg ein. So wurde das Münster 1827 zur Kathedrale des Erzbischofs der neu geschaffenen Oberrheinischen Kirchenprovinz. Nach dem Zwischenspiel des teilweise blutig niedergeschlagenen demokratischen Freiheitskampfes in der Badischen Revolution 1848/49 gelang es Großherzog Friedrich I. endgültig, auch die Breisgauer zu loyalen und begeisterten badischen Landeskindern zu machen.

Freiburg nahm in der zweiten Hälfte des 19. Jahrhunderts eine stürmische Entwicklung. Seit den 1820er Jahren wuchs die Stadt wieder über den Ruinengürtel der Festung hinaus. Ein wichtiger Schritt der künftigen Stadtentwicklung erfolgte 1845, als Freiburg an die neue badische Staatsbahn angeschlossen wurde. Lebten um 1850 noch etwa 15.000 Einwohner in der Stadt, waren es zum Jahrhundertende bereits 60.000 Bürgerinnen und Bürger. Den Wandel zur Großstadt mit moderner Infrastruktur vollzog Freiburg vor allem in der Amtszeit von Oberbürgermeister Otto Winterer zwischen 1888 bis 1913. Elektrizität und Straßenbahn, moderne Wasserversorgung und Abwasserentsorgung, ein modernes Stadttheater, Schulen und Wohnungen

für alle Bevölkerungsschichten, der Ausbau der Universität mit zahlreichen Instituten, Bibliothek und einem neuen Kollegienhaus sind Produkte jener goldenen Jahre der „Wintererzeit".

Nach den wirtschaftlich ungleich schwereren Zeiten in der Folge des Ersten Weltkrieges, in dessen Verlauf die Garnisons- und Lazarettstadt Freiburg mehrfach bombardiert worden war, konsolidierten sich die Verhältnisse gegen Ende der 1920er Jahre wieder und 1933

Stadtplan von Freiburg mit Straßenverzeichnis, Farblithographie von Joseph Roesch, Freiburg 1825.

Map of Freiburg with street directory, colour lithography by Joseph Roesch, Freiburg 1825.

Plan de la ville de Fribourg avec la liste des rues, lithographie en couleurs de Joseph Roesch, Fribourg 1825.

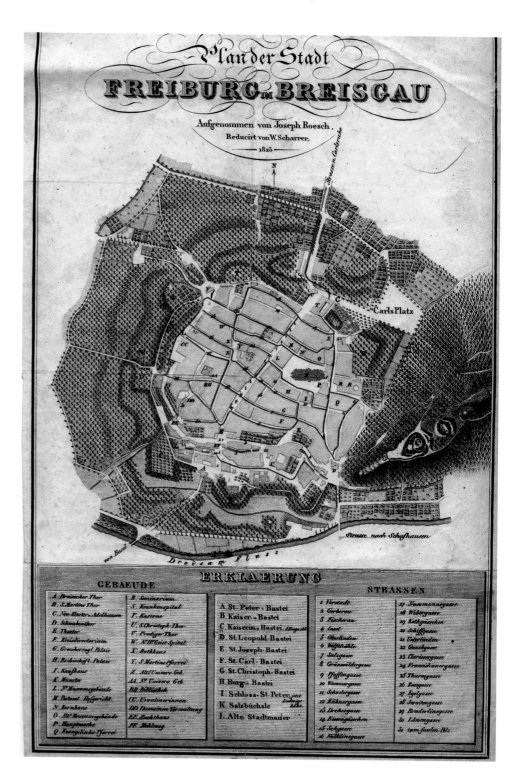

konnte die Grenze von 100.000 Einwohnern überschritten werden. Im gleichen Jahr drängten die Nationalsozialisten den demokratisch gewählten Oberbürgermeister aus seinem Amt. Die Verfolgung und Verfemung jüdischer Mitbürger und politisch Andersdenkender folgte umgehend: Jüdische Professoren verloren ihre Lehrstühle, jüdische Geschäftsleute, Rechtsanwälte, Architekten und Ärzte wurden boykottiert, 1938 brannte die Synagoge und 1940 wurden nahezu alle verbliebenen badischen Juden in das Lager Gurs am Fuß der Pyrenäen deportiert, von wo aus die Transporte in die Vernichtungslager im Osten folgten. 1940 setzten die Bombenangriffe auf Freiburg ein, am 27. November 1944 legten britische Bomberverbände in der Operation „Tigerfish" das alte Freiburg in Schutt und Asche. Mit dem Einmarsch der Franzosen im April 1945 endeten Krieg und Terror.

Der Wiederaufbau eines demokratischen Systems unter französischer Besatzung war in den ersten Jahren begleitet von großer Wohnungsnot und teils dramatischen Versorgungsengpässen, die durch Hilfslieferungen vor allem aus den USA und der Schweiz gemildert wurden. Der Wiederaufbau der schwer zerstörten Stadt wurde sorgfältig geplant und orientierte sich an einem Idealbild des historischen alten Freiburg. Die Universität nahm bald ihren Betrieb wieder auf. Unzählige gut besuchte Ausstellungen und Veranstaltungen belegen den Hunger der Bevölkerung nach Kultur; nicht ohne Grund war in Freiburg schon 1946 das erste Institut Francais in Deutschland eröffnet worden. Das zerstörte Stadttheater war unter großen Anstrengungen schon 1949 wieder bespielbar. 1947 war Freiburg zur Hauptstadt des selbständigen Landes Baden geworden, das nach einer Volksabstimmung

Die Kaiserstraße mit Bertoldsbrunnen und Martinstor. Photographie von Gottlieb Theodor Hase, Freiburg um 1855.

Kaiserstrasse with Bertoldsbrunnen and Martinstor. Photograph by Gottlieb Theodor Hase, Freiburg around 1855.

Rue Kaiserstraße avec le Bertoldsbrunnen (fontaine de Bertold) et la Martinstor (Porte Saint Martin). Photographie de Gottlieb Theodor Hase, Fribourg vers 1855.

1952 im neu entstandenen Bundesland Baden-Württemberg aufging. Im Jahr 1950 war mit 110.000 Einwohnern der Vorkriegsstand wieder erreicht, heute strebt Freiburg als eine der wenigen noch wachsenden Großstädte Deutschlands auf 210.000 Einwohner zu.

Zu Beginn der 1960er Jahre, als Freiburg etwa 150.000 Einwohner hatte und weiter wuchs, setzte die Expansion nach Westen ein, wo die neuen Stadtteile Weingarten-Binzengrün, Bischofslinde und Landwasser entstanden. Die 1974 abgeschlossene Gemeindereform brachte Freiburg einen enormen Gebietszuwachs: die Stadtfläche verdoppelte sich von knapp 8.000 auf über 15.000 Hektar, darunter fast 700 Hektar Reben, vor allem in den neuen Stadtteilen am Tuniberg, die Freiburg zur Großstadt mit den meisten Weinbauflächen auf dem Stadtgebiet machen.

Heute ist Freiburg das wichtigste Einkaufs- und Dienstleistungszentrum am südlichen Oberrhein mit einem Einzugsgebiet, das große Teile des Süd- und Hochschwarzwaldes bis ins Elsass hinein umfasst. Die Universität mit ihrem Klinikum, das dank alter Stiftungen auch die Rolle des städtischen Krankenhauses erfüllt, ist nach wie vor der größte Arbeitgeber Freiburgs und darf sich seit ihrem Jubiläumsjahr 2007 zu den deutschen Exzellenzhochschulen rechnen. Vom 2008 begonnenen Umbau der Universitätsbibliothek und der damit verbundenen Neugestaltung des innerstädtischen Campus versprechen sich Stadt und Hochschule in den nächsten Jahren wesentliche Impulse für ihre Entwicklung.

In den letzten Jahren hat sich Freiburg vor allem auf dem Gebiet des Umweltschutzes einen Namen gemacht. Aus dem Protest gegen ein in Whyl am Kaiserstuhl geplantes Atomkraftwerk entstand hier die Bewegung der Grünen. Der öffentliche Personennahverkehr ist hervorragend ausgebaut und stützt sich im Stadtgebiet auf die umweltfreundliche Straßenbahn, die in den letzten Jahren ständig erweitert wurde und auch weiterhin ausgebaut wird. Auch die neuen Stadtteile Rieselfeld und Vauban sind mit der Tram erschlossen. Heute gilt Freiburg vor allem auf dem Gebiet der Solarenergienutzung als vorbildhaft, wirbt im Ausland mit dem neuen Prädikat „Green City" und setzt deutliche Zeichen in der Nutzung regenerativer Energien. So tragen zahlreiche öffentliche Gebäude, darunter das Stadion des Fußball-Bundesligisten SC Freiburg Solarzellen zur Stromerzeugung; entlang des Flusses Dreisam sind mehrere neue Wasserkraftwerke entstanden und am Hausberg Schauinsland und auf dem Rosskopf ragen weithin sichtbare Windkraftanlagen.

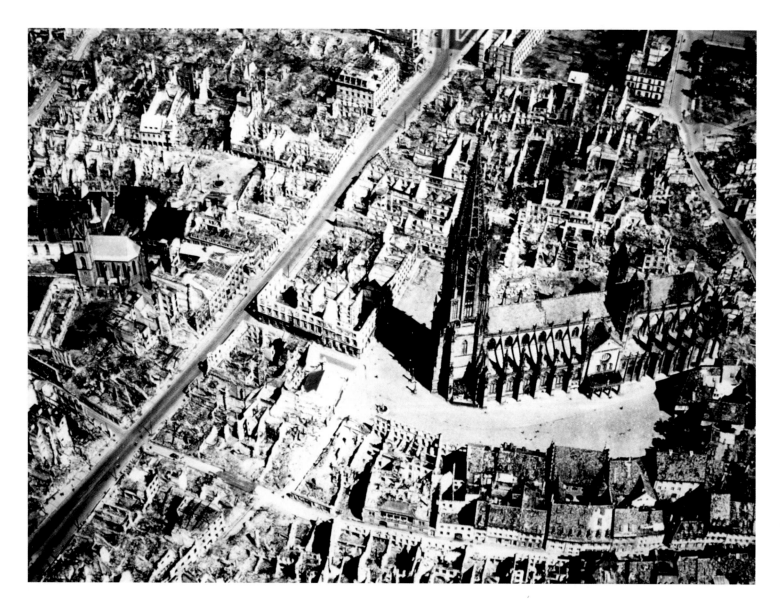

Links – Von dem neuen Aussichtsturm, der 2002 auf dem „Salzbüchsle" genannten Teil der Schlossbergfestung erbaut wurde, fällt der Blick auf die Dachlandschaft der rund um das Münster mit viel Respekt vor der Freiburger Bautradition wiederaufgebauten Altstadt.

Left – From the new outlook tower which was built on the part of the Schlossberg fortress called „Salzbüchsle" in 2002, the roof landscape of the old town around the cathedral that was rebuilt with a lot of respect for the Freiburg building tradition catches your eye.

Ci-contre – Vue depuis la nouvelle tour d'observation construite en 2002 sur la partie baptisée „Salzbüchsle"(Fort d'Aigle) de la forteresse de Schlossberg, sur les toits de la vieille ville reconstruite autour de la cathédrale, dans le respect de la tradition architecturale de Fribourg.

S. 10 – Die zerstörte Innenstadt mit dem am 27. November 1944 nahezu unversehrt gebliebenen Münster im April 1945.

P. 10 – the destroyed centre with the minster almost remained intact on November 27th, 1944 in April 1945.

P. 10 – Centre ville détruit le 27 novembre 1944 et sa cathédrale restée presque intacte, avril 1945.

Am Rathausplatz liegt das Zentrum der Verwaltung Freiburgs. Während das rot gestrichene Alte Rathaus nach seiner Zerstörung im Krieg wiederaufgebaut wurde, blieb das Neue Rathaus mit dem großen Balkon unversehrt. Es entstand erst zwischen 1896 und 1901 durch den Umbau des alten Kollegiums der Universität, ursprünglich ein in der Renaissance erbautes Wohnhaus. Mit einem neuen Verbindungsflügel fügte man die beiden Giebelfassaden zum Rathaus zusammen.

The administrative centre of Freiburg is Rathausplatz, the Town Hall Square. While the Old Town Hall with its red paint was rebuilt after being destroyed in the war. The New Town Hall and its big balcony remained intact. It was built between 1896 and 1901 as part of the rebuilding of the old university college (originally a residential building built in the Renaissance). A new wing joined the two gable façades, which together form the Town Hall.

Sur la place de l'hôtel de ville se trouve le centre de l'administration de Fribourg. Tandis que l'ancien hôtel de ville peint en rouge a été reconstruit après sa destruction pendant la guerre, le nouvel hôtel de ville est resté intact avec son grand balcon. C'est seulement entre 1896 et 1901 qu'il est construit, à travers la transformation de l'ancien corps universitaire, à l'origine une maison d'habitation construite à la Renaissance. Le nouveau corps principal relie les deux façades surmontées de gâbles pour former l'hôtel de ville.

Oben – Beim Umbau des Alten Kollegiums wurde auch der romantische Innenhof im Sinn des Historismus „verbessert". Das Universitätsportal wurde von der Hofmauer an die Rückwand versetzt. Im Sommer bildet es die Kulisse für Theateraufführungen und Konzerte.

Above – During the rebuilding of old college the romantic inner courtyard was also „improved" in accordance with Historicism. The university portal was moved from the court wall to the rear wall. In summer it functions as scenery for stage productions and concerts.

En haut – Lors de la transformation de l'ancien corps universitaire, la cour intérieure romantique est elle aussi „améliorée" au sens de l'historisme. Le portail de l'université est déplacé du mur de la cour à la face arrière. En été, il sert de décor à des représentations théâtrales et des concerts.

Unten – Das Erdgeschoß des Verbindungsflügels von 1901 bildet eine steingewölbte Halle im spätgotischen Stil. Die Gewölbe tragen den Boden des großen Ratssaals im ersten Obergeschoß.

Below – The ground floor of the 1901 connecting wing is a vaulted stone hall in the late Gothic style. The vaults bear the floor of the large council hall on the upper floor.

En bas – Le rez-de-chaussée de l'aile de jonction de 1901 forme une salle voûtée en pierre de style gothique tardif. Les voûtes portent le sol de la grande salle du conseil située au premier étage.

Das Alte Rathaus wurde schon 1303 erwähnt. Hier befand sich die Kanzlei des Ratsschreibers, des wichtigsten Beamten der Stadt. Durch Zukauf von Nachbarhäusern wurde das Rathaus ständig erweitert. Zu den jüngsten Teilen gehört der Südteil mit der großen, rundbogigen Durchfahrt zum Rathaushof. Wie an vielen öffentlichen Gebäuden finden sich hier die Wappen der Stadt und des Hauses Habsburg. Das Wachstum der Stadt gegen Ende des 19. Jahrhunderts machte den Bau des Neuen Rathauses notwendig.

The Old Town Hall was already mentioned in 1303. The chambers of the clerk to the council, the most important official of the town, were located here. The Town Hall was continuously extended by acquiring neighbouring houses. The southern part with its large, arched passage to the courtyard, is one of the newest section. As on many public buildings, the town's coat of arms and that of the Habsburg House are found here. The town's growth at the end of the 19th century made it necessary to build a New Town Hall.

L'ancien hôtel de ville est mentionné dès 1303. C'est ici que se trouvaient les bureaux du greffier du Conseil, l'officier le plus important de la ville. Par l'achat de maisons voisines, l'hôtel de ville est constamment agrandi. Parmi les parties les plus récentes, figure la partie sud avec le grand passage arqué vers l'hôtel de ville. Comme sur beaucoup de bâtiments publics, on trouve ici les blasons de la ville et de la maison des Habsbourg. L'extension de la ville vers la fin du 19ème siècle rend nécessaire la construction du nouvel hôtel de ville.

Die beiden Giebel des Neuen Rathauses mit ihren Eckerkern bildeten Vor- und Rückgebäude
des Hauses „Zum Rechen", das sich der Arzt
Joachim Schiller von Herdern zwischen 1529
und 1545 erbauen ließ. Seit 1578 war es im Be-
sitz der Universität, die es mit dem Nachbarhaus
„Zum Phönix" zusammenfügte und bis 1891 als
Kollegiengebäude nutzte. Die Stadt erwarb das
Gebäude zur Erweiterung des Rathauses mit der
ausdrücklichen Maßgabe, es zu erhalten.

The two gables of the New Town Hall with their
corner bays were formed out of the front and
rear building of the house „Zum Rechen" which
the doctor Joachim Schiller von Herdern had
built between 1529 and 1545. Since 1578, it was
in possession of the university which joined it
with the neighbouring house „Zum Phönix" and
used it as a lecture building until 1891. The town
purchased the building for the expansion of the
town hall with the express stipulation that it be
maintained.

Les deux frontons du nouvel hôtel de ville avec
leur oriel d'angle formaient le bâtiment avant et
arrière du „Zum Rechen" (Maison du Râteau),
que le docteur Joachim Schiller von Herdern a
fait construire entre 1529 et 1545. Depuis 1578,
elle appartient à l'université, qui la raccorde
à la maison voisine du „Zum Phönix", et sert
jusqu'en 1891 de corps universitaire. La ville ac-
quiert le bâtiment pour agrandir l'hôtel de ville,
avec la condition explicite de le conserver.

Ein beliebter Treffpunkt ist der Berthold-Schwarz-Brunnen auf dem Rathausplatz, der 1853 zu Ehren des Franziskanermönchs errichtet wurde, der 500 Jahre zuvor im angrenzenden Kloster das Schwarzpulver erfunden haben soll. Der Platz war erst wenige Jahre zuvor entstanden, als der Kreuzgang des Klosters weitgehend abgebrochen wurde.

A popular meeting place is Bertold Schwarz Fountain in the Town Hall Square. It was set up in 1853 in honor of the Franciscan monk who is said to have invented gunpowder 500 years previously in the adjacent monastery. The square had been created only a few years before that, when the monastery cloister was mostly torn down.

Sur la place de l'hôtel de ville, la fontaine de Berthold Schwarz constitue un lieu de rendez-vous apprécié. Elle a été érigée en l'honneur du moine franciscain, qui aurait été l'inventeur de la poudre à canon 500 ans auparavant dans le monastère voisin. La place n'était apparue que quelques années auparavant, lorsque le déambulatoire du monastère avait été largement démoli.

Am Giebel des Alten Rathauses prangt der kaiserliche Doppeladler, der in Freiburg an vielen Stellen zu finden ist und auf die lange Zugehörigkeit Freiburgs zum Haus Habsburg verweist.

The imperial double-headed eagle is resplendent on the gable of the Old Town Hall. It can be found in many places in Freiburg and refers to Freiburg's long affiliation to the House of Habsburg.

Le gâble de l'ancien hôtel de ville est orné d'un aigle impérial à deux têtes, que l'on retrouve à plusieurs endroits de Fribourg et qui renvoie à la longue appartenance de Fribourg à la maison des Habsbourg.

Hinter dem Alten Rathaus liegt Freiburgs ältestes Ratsgebäude, die so genannte Gerichtslaube. Hier tagte bis 1901 der Rat der Stadt. Im Krieg fast vollkommen zerstört, wurde die Gerichtslaube 1975 bis 1979 wieder aufgebaut.

Freiburg's oldest administrative building, the so-called Gerichtslaube, lies behind the Old Town Hall. This is where the town council met until 1901. Destroyed almost completely in the war, the Gerichtslaube was rebuilt from 1975 to 1979.

Derrière l'ancien hôtel de ville, se trouve le bâtiment du conseil municipal le plus ancien de Fribourg, baptisé „Gerichtslaube", car il abritait le tribunal. C'est ici que siègait le conseil municipal jusqu'en 1901. Presque entièrement détruit pendant la guerre, le „Gerichtslaube" est reconstruit entre 1975 et 1979.

Alois Knittels Skulptur des grübelnden Schieß-
pulvererfinders vor dem Turm der Martinskirche.
Die ehemalige Klosterkirche der Franziskaner erhielt ihren Turm erst unter Stadtpfarrer Heinrich
Hansjakob in den Jahren 1890/91.

Alois Knittel's sculpture of the brooding gunpowder inventor in front of the tower of the Martinskirche. The former Franciscan monastery
church got its tower under the town parish priest
Heinrich Hansjakob in the years 1890/91.

Sculpture de l'inventeur de la poudre à canon
en pleine réflexion, par Alois Knittel, devant la
tour de la Martinskirche (Église Saint Martin).
L'ancienne église du monastère des Franciscains
n'obtient sa tour que sous le prêtre de la ville
Heinrich Hansjakob vers 1890/91.

Überall in der Altstadt sichtbar: Der Turm des Münsters, dessen filigraner Steinhelm für viele Jahre von einem ebenso filigranen Gerüst verhüllt sein wird.

Visible all over the Old Town: the filigree stone helmet of the Cathedral tower will be veiled by equally filigree scaffolding for many years to come.

Visible partout dans la vieille ville : la tour de la cathédrale, dont la flèche en filigrane en pierre se cachera pour plusieurs années derrière un échafaudage lui aussi en filigrane.

S. 21 - Als einziges Relikt des einst bedeutenden Franziskanerklosters blieb neben der Kirche ein Arm des Kreuzgangs erhalten. Die Bettelmönche hatten sich nach einer Geländeschenkung im Jahr 1246 mitten in der Stadt niedergelassen. Kirche und Kloster entstanden bis um 1350. 1785 wurde das Kloster aufgehoben und die Kirche wurde zur Pfarrkirche.

P. 21 - Besides the church, one section of the cloister is all that remains of this once important Franciscan monastery. The begging monks set up in the middle of the town after an endowment gave them a tract of land in the year 1246. Church and cloister were built before 1350. In 1785 the monastery was anulled and the church became the parish church.

P.21 – Un bras du déambulatoire à côté de l'église a été conservé comme unique vestige du haut-lieu Franciscain de l'époque. Les moines mendiants se sont installés au cœur de la ville en 1246 à la suite de la donation d'un terrain. L'église et le cloître ont été construits jusqu'en 1350. En 1785, le monastère est aboli et l'église devient une église paroissiale.

Ein mittelalterliches Reitersiegel inspirierte den Bildhauer Nikolaus Röslmeir 1956 zu seinem Reiter für den neuen Bertoldsbrunnen. Der im Krieg zerstörte Vorgänger war 1807 als Zähringerdenkmal aufgestellt worden, um die Großherzöge an die Wohltaten zu erinnern, mit denen ihre Vorfahren die Stadt bedacht hatten.

A medieval rider seal inspired the sculptor Nikolaus Röslmeir in 1956 for his rider on the new Bertolds fountain. Its predecessor had been destroyed in the war. It had been set up as a Zähringer monument in 1807, to remind the grand dukes of the beneficence of their ancestors.

Un sceau équestre médiéval inspire le sculpteur Nikolaus Röslmeir en 1956 pour son cavalier de la nouvelle fontaine de Bertold. La précédente, détruite pendant la guerre, avait été érigée en 1807 comme monument dédié aux Zähringen, pour rappeler aux grands-ducs les bienfaits dont leurs prédécesseurs avaient gratifié la ville.

S. 22 – Seit dem 27. November 1965 markiert der Bertoldsbrunnen wieder die Mitte der Stadt an der Kreuzung der Hauptachsen Kaiser-Joseph-Straße, Bertoldstraße und Salzstraße.

P. 22 – Since November 27th, 1965, Bertolds fountain has marked the middle of the town at the crossroads of the main streets Kaiser-Joseph-Strasse, Bertoldstrasse and Salzstrasse again.

P.22 – Depuis le 27 novembre 1965, le Bertoldsbrunnen (Fontaine de Bertold) se situe de nouveau au cœur de la ville, au croisement des axes principaux : les rues Kaiser-Joseph-Straße, Bertoldstraße et Salzstraße.

Seiner jahrhundertelangen Nutzung als Friedhof verdankt der Münsterplatz in Freiburg seine
weite Ausdehnung. Die Südseite war im Krieg
zu großen Teilen erhalten geblieben, die weitgehend zerstörte Nordseite wurde in altem Stil
wieder aufgebaut.

Münsterplatz is spread over wide parts of
Freiburg. This is because it was for centuries used
as a cemetary. Large tracts on the southern side
were undamaged by the war; the northern side
was mostly destroyed but rebuilt in the old style.

C'est parce qu'elle a été utilisée comme cimetière pendant des siècles que la place de la cathédrale de Fribourg est aussi étendue. La partie
sud est restée en grande partie intacte pendant
la guerre ; la partie nord largement détruite a été
reconstruite selon son ancien style.

Ein Muss beim Besuch des Münstermarktes: Die Rote mit Zwiebeln - eine kräftige Bratwurst aus der Hand.

A must if you visit Münstermarkt: A red bratwurst with onions.

Les incontournables lors d'une visite du marché de la cathédrale : la saucisse rouge à l'oignon, une saucisse grillée corsée à manger à la main.

Exotische Genüsse und Gerüche am Gewürzstand.

Exotic tastes and smells at the spice stand.

Les délicieuses senteurs exotiques au stand des épices.

Bunte Perspektive vom Münsterturm.

The colourful vista from the Cathedral's tower.

Vue colorée depuis la tour de la cathédrale.

Das Westende des Münsterplatzes vor dem Turmeingang ist traditionell den Händlern von Schnittblumen und Pflanzen vorbehalten. Hier erwirbt man nicht nur bunte Blumensträuße, sondern auch Nützliches wie Gartenkräuter oder Tomatensetzlinge. Im Hintergrund sieht man die Domsingschule, das ehemalige Palais der Freiburger Erzbischöfe.

The west end of Münsterplatz in front of the tower entrance is traditionally left to the sellers of cut flowers and plants. Here you can buy more than bright bouquets but also useful things like garden herbs or tomato seedlings. In the background you see the cathedral singing school – the former palace of the Freiburg archbishops.

L'extrémité ouest de la place de la cathédrale devant l'entrée de la tour est traditionnellement réservée aux marchands de fleurs et plantes. On peut non seulement y acheter des bouquets de fleurs colorés, mais aussi des herbes aromatiques et des plants de tomates. En arrière-plan, on aperçoit l'école de chant de la cathédrale, l'ancien palais de l'archevêque de Fribourg.

Auch am Abend sind die Lokale am Münster-platz gut besucht, trotz des gegen 21 Uhr ein-setzenden „Höllentälers", eines vom Schwarz-wald her wehenden Windes, der für deutliche Abkühlung sorgt.

The restaurants on Münsterplatz are busy in the evenings too, despite the „Höllentäler", a wind blowing here from the Black Forest which cools the air markedly, starting around 9 PM.

Même le soir, les cafés-restaurants ne désem-plissent pas sur la place de la cathédrale, malgré le vent baptisé „Höllentäler" qui souffle dès 21h en provenance de la Forêt Noire et qui entraîne un net refroidissement.

Trotz seiner zahlreichen Kunstschätze ist das Münster kein Museum, sondern noch immer in erster Linie Gotteshaus. Da die Freiburger Pfarrkirche erst 1827 zur Kathedrale eines Erzbischofs erhoben wurde, dient sie nicht nur als Dom, sondern auch als Zentrum einer lebendigen Pfarrgemeinde.

Despite its numerous art treasures, the Cathedral is not a museum, but still primarily a place of worship. Since the Freiburg parish church was promoted to the cathedral of an archbishop only in 1827, it has served not only as a cathedral but also as the centre of a lively parish.

Malgré ses nombreux trésors d'art, la cathédrale n'est pas un musée : elle reste en premier lieu la maison de Dieu. L'église paroissiale de Fribourg n'ayant été élevée au rang de cathédrale d'un archevêque qu'en 1827, elle sert non seulement de cathédrale mais aussi de centre d'une paroisse vivante.

Besondere Verehrung erfährt die Madonnensta-
tue aus dem 16. Jahrhundert am südwestlichen
Vierungspfeiler, die stets von brennenden Ker-
zen umgeben ist.

The 16th-century Madonna statue at the south-
west intersection column earns particular admira-
tion. It is always surrounded by burning candles.

La statue de la madone du 16ème siècle, sur
le pilier sud-ouest de la croisée du transept, et
constamment entourée de cierges allumés, est
particulièrement vénérée.

1805 ist die Abendmahlskapelle mit ihrer Figu-
rengruppe entstanden. Die vom Gewölbe herab-
hängende Silberampel erinnert an die Brautfahrt
Marie Antoinettes im Jahr 1770.

The Holy Communion chapel with its group of
figures was built in 1805. The silver light hanging
down from the vaulted ceiling commemorates
Marie Antoinette's bridal journey in the year
1770.

En 1805, la chapelle de la communion est créée
avec son groupe de statues. La lampe en argent
suspendue à la voûte rappelle le cortège nuptial
de Marie Antoinette en 1770.

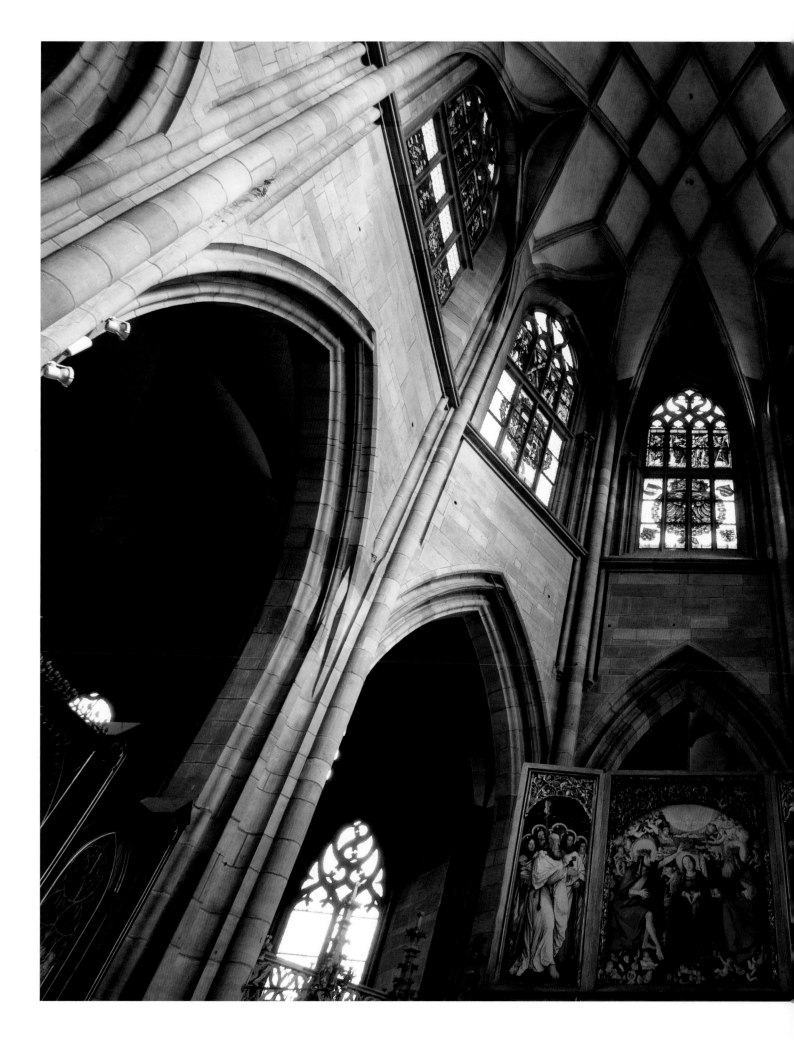

54

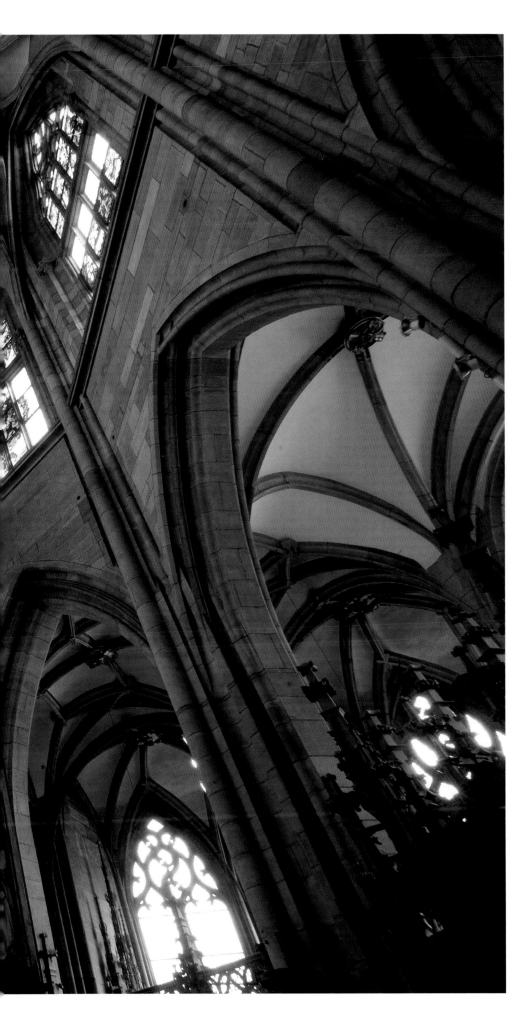

Zentrum der Ausstattung des Münsters ist der 1512 bis 1516 gemalte Hochaltar von Hans Baldung gen. Grien. Das Chorhaupt bietet diesem Hauptwerk der spätgotischen Malerei – hier die Festtagsseite mit der Marienkrönung – einen angemessenen Rahmen.

Centre of the Cathedral's interior is the 1512 to 1516 painted high altar by Hans Baldung called Grien. The choir head offers this major work of late Gothic painting – here the festive side with the Crowning of Mary – a fitting setting.

Le retable peint par Hans Baldung, dit Grien, entre 1512 et 1516, est au centre de la décoration de la cathédrale. Le chevet offre un espace conforme à ce chef-d'œuvre de la peinture du gothique tardif, ici le côté du jour de fête avec le couronnement de Marie.

Oben – Das romanische Böcklinskreuz stammt noch aus der Zeit der Zähringer und schmückte um 1200 vielleicht den Hochaltar des Münsters.

Above – The Romanesque Böcklinskreuz dates from the time of the Zähringer and perhaps adorned the high altar of the Cathedral in 1200.

Ci-dessus – La croix romane de Böcklins date de l'époque des Zähringen et ornait peut-être le retable de la cathédrale vers 1200.

Vom Chorumgang mit seinem Kapellenkranz ist auch die Rückseite von Baldungs Hochaltar mit der Kreuzigung zu sehen. Der reich verzierte Marienaltar der ersten Kaiserkapelle stammt aus dem Jahr 1875.

From the ambulatory with its chapel wreath one can also see the back of Baldung's high altar with the crucifixion. The richly ornamented Marienaltar of the first emperor chapel dates from the year 1875.

Dans le déambulatoire aux chapelles rayonnantes, il est également possible de voir la face arrière du retable de Baldung montrant la crucifixion. L'autel Sainte Marie richement décoré de la première chapelle impériale date de 1875.

Die zwischen den Strebepfeilern vor- und zurück-springenden Wände der Kapellen verleihen dem Chorumgang des Münsters auch am Außenbau seine charakteristische bewegte und lebendige Kontur.

The chapel walls going back and forth between the buttresses give the Cathedral ambulatory its characteristic moving, lively contours on the outside too.

Les murs de la chapelle qui rentrent et font saillie entre les contreforts confèrent au déambulatoire de la cathédrale, ainsi qu'à l'extérieur de l'édi-fice, son apparence complexe et vivante si par-ticulière.

Herrgottstag: Zu den wichtigsten Ereignissen im kirchlichen Jahreslauf zählte in Freiburg schon immer Fronleichnam, das Fest der Verehrung Christi in der geweihten Hostie, das alljährlich mit einer Prozession durch die ganze Innenstadt festlich begangen wird. Dabei werden auch die barocken Büstenreliquiare der Zunftheiligen – ansonsten im Augustinermuseum aufbewahrt – mitgeführt.

Day of the Lord: Corpus Christi, the festival honouring Christ in the consecrated host, is celebrated every year with a procession that goes through the whole city centre, has always been one of the most important events in the church year in Freiburg. The Baroque bust reliquiaries of the guild saints are also part of the parade. They are otherwise stored in the Augustinian Museum.

Jour du seigneur : La Fête-Dieu a toujours compté à Fribourg parmi les événements les plus importants de l'année ecclésiastique. Il s'agit de la fête de vénération du Christ dans l'hostie consacrée célébrée chaque année par une procession à travers tout le centre-ville. À cette occasion, les bustes reliquaires baroques des saints patrons, conservés sinon au musée des Augustins, sont également transportés.

Die Mühe einer Turmbesteigung belohnen beeindruckende Ausblicke auf die Stadt und das Umland und ein Blick in den gotischen Glockenstuhl.

Impressive views of the town and the surrounding countryside and a peek into the Gothic bell cage are the rewards for the tiring tower ascent.

Les efforts fournis pour monter en haut de la tour sont récompensés par une vue impressionnante sur la ville et les environs, ainsi que sur le clocher gothique.

S. 63 – Ein interessanter Kontrast: Die um 1350 errichtete Pyramide des südlichen Hahnenturms vor ihrem eingerüsteten Vorbild, der Spitze des Hauptturms.

P. 63 – An interesting contrast: The 1350 pyramid of the southern Hahnenturm tower in front of its scaffolded prototype, the top of the main tower.

P. 63 – Un contraste intéressant : La pyramide de la „Hahnenturm" (tour du coq) sud érigée vers 1350 devant son modèle échafaudé, la pointe de la tour principale.

Der Blick vom Münsterturm nach Osten zeigt hier die beiden im unteren Teil noch romanischen Hahnentürme mit ihren gotischen Aufbauten, zwischen denen sich das hohe Dach des Chors erhebt.

The view from the cathedral's tower to the east shows the two Romanesque towers with their Gothic structure. Rising between them – the high roof of the choir.

La vue depuis la tour de la cathédrale vers l'est montre ici les deux Hahnentürme (tours du coq), dont la partie basse est encore romane, avec ses constructions gothiques, entre lesquelles s'élève le haut toit du chœur.

Die Nordseite des Platzes ist nach dem Krieg neu entstanden, das spätgotische Kornhaus wurde 1970 nach dem 1944 zerstörten Vorgänger rekonstruiert.

The northern side of the square was newly built after the war, the late Gothic granary was reconstructed in 1970 after its predecessor was destroyed in 1944.

La partie nord de la place a été reconstruite après la guerre, la Kornhaus (halle aux grains) gothique tardif est reconstruite en 1970 après la destruction en 1944 de la précédente.

Werkleute der Freiburger Münsterbauhütte setzen ein neues Maßwerkteil in die Turmpyramide.

Workers of Freiburg's Münsterbauhütte (Old Cathedral Construction Cottage) fitting a new part into the tower pyramid.

Des ouvriers du Münsterbauhütte (chantier de la cathédrale) de Fribourg installent une nouvelle pièce de grande dimension dans la pyramide de la tour.

Die vergoldeten Wetterfahnen geben den Hahnentürmen ihren Namen.

The gold-plated weather vanes give the towers their name.

Les „Hahnentürme" (tours du coq) tiennent leur nom des girouettes dorées.

Freiburgs zweiter Stadtpatron Lambert von Lüttich auf einer der drei barocken Säulen vor dem Hauptturm.

Freiburg's second patron saint, Lambert of Liège, on one of the three Baroque columns in front of the main tower.

Lambert de liège, le second saint patron de Fribourg, sur une des trois colonnes baroques devant la tour principale.

Restauratorin bei der Arbeit in der Werkstatt am Turm.

A restorer at work in the workshop at the tower.

Restauratrice en plein travail dans l'atelier de la tour.

S. 67 – Ein Wasserspeier am Chor in Aktion.

P. 67 – A gargoyle at the choir in action.

P. 67 – Gargouille du chœur en pleine action.

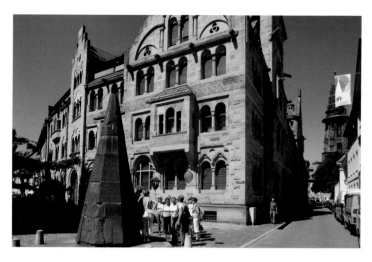

Oben – Zwischen Konviktstraße und Herrenstraße liegt das langgestreckte Gebäude des Erzbischöflichen Ordinariats von 1906.

Above – Between Konviktstrasse and Herrenstrasse lies the long building of the Archiepiscopal Ordinariate of 1906.

En haut – Entre la rue Konviktstraße et Herrenstraße se trouve le bâtiment allongé de l'ordinariat archiépiscopal de 1906.

Rechts – Das Haupttreppenhaus des Ordinariats mit seinem reichen Schmuck zählt zu den eindrucksvollsten Innenräumen in Freiburg. Diözesanbaumeister Raimund Jeblinger verband in seinem Entwurf Jugendstil mit Elementen der byzantinischen, iro-schottischen und romanischen Kunst und Dekoration.

Right – The main stairwell of the Ordinariate with its rich decorations is one of the most impressive interiors in Freiburg. Diocesan master builder Raimund Jeblinger combined Art Nouveau with elements of Byzantine, Hiberno-Scottish and Romanesque art and decoration in his design.

À droite – L'escalier principal de l'ordinariat richement décoré compte parmi les espaces intérieurs les plus impressionnants de Fribourg. Dans sa conception, l'architecte diocésain Raimund Jeblinger a associé de l'art nouveau à des éléments d'art et de décoration byzantine, irlando-écossais et romane.

Vom Münsterturm fällt hier der Blick auf Oberlinden, das alte Stadtquartier beim Schwabentor, auf den Schlossberg und die Schwarzwaldberge südlich des Dreisamtales.

From the cathedral tower, the view falls on Oberlinden, the old town quarter at Schwabentor, on Schlossberg and the Black Forest mountains south of the Dreisam valley.

Vue depuis la tour de la cathédrale sur Oberlinden, le vieux quartier près de la Schwabentor (Porte des Souabes), sur le Schloßberg et les montagnes de Forêt Noire au sud de la vallée de la Dreisam.

VOM SCHWABENTOR ZUM MARTINSTOR
OBERLINDEN UND DIE SCHNECKENVORSTADT

Die Oberstadt, vor allem Oberlinden bildete innerhalb der Altstadt ein eigenständiges Quartier. Die Herrenstraße verdankt ihren Namen den hier bis heute wohnenden Geistlichen. An ihrer Verzweigung mit der Salzstraße steht seit Jahrhunderten die Linde, der das Viertel seinen Namen verdankt. Durch das um 1250 erbaute Schwabentor kamen lange Zeit fast alle Waren in die Stadt, denn nur dort gab es einen Dreisamübergang, bei dem sich alle Handelsstraßen von Schwaben und vom Süden her bündelten und in die Stadt führten. Entsprechend gestaltete sich die Infrastruktur des Stadtgebietes. Es gab zahlreiche Schmieden, Wagner und vor allem Gasthöfe. Dazu gehört der „Rote Bären", der mit seiner lückenlosen Liste von 51 Wirten seit 1386 das Prädikat „Ältester Gasthof Deutschlands" beanspruchen darf. In der Tat gehen die Keller des stattlichen Gebäudes bis in die Zeit der Stadtgründung zurück. Auch in anderen Häusern in dem 1944 weitgehend unversehrt gebliebenen Oberlinden findet sich die älteste Bausubstanz der Stadt.

An der Konviktstraße erinnert der Name eines Gasthauses noch an den alten Straßennamen „Hintere Wolfhöhle". Vor etwa 30 Jahren wurde das im Lauf der Jahre stark heruntergekommene Quartier aufwendig saniert und zählt heute zu den Sehenswürdigkeiten der Altstadt.

The name of one inn on Konviktstrasse – „Hintere Wolfhöhle" – recalls the old street name. About 30 years ago the run-down quarter was carefully renovated is today one of the old town sights.

Dans la rue Konviktstraße, le nom d'une auberge porte l'ancien nom de la rue : „Hintere Wolfhöhle" (tanière arrière des loups). Il y a environ 30 ans, le quartier devenu au fil des ans extrêmement vétuste a été largement réhabilité et compte aujourd'hui parmi les curiosités de la vieille ville.

Am Schwabentor vorbei gelangt man in die einzige mittelalterliche Vorstadt Freiburgs, die Kriege und Festungsbau überstanden hat. Ihren Namen „Schneckenvorstadt" verdankt sie einem Wirtshaus mit schöner Wendeltreppe ("Schneck"). Sie wird durchzogen vom Gewerbekanal, der einige Kilometer vor der Stadt aus der Dreisam geleitet wird. Er lieferte Wasser für zahlreiche Betriebe, vor allem Gerber, Edelsteinschleifer und Müller. Noch heute wird seine Wasserkraft zur Stromerzeugung genutzt, zu dem einzigen noch bestehenden Kraftwerk sind in den letzten Jahren mehrere neue Anlagen hinzugekommen. Aus dem Gewerbekanal werden auch die berühmten Freiburger „Bächle" gespeist. Dieses alte Wasserversorgungssystem ist schon im 13. Jahrhundert urkundlich nachgewiesen und ist wohl im Zusammenhang mit dem Bau der Stadtmauer angelegt worden. Nahezu jede Altstadtstraße besitzt ihren Wasserlauf; insgesamt sind es 15 Kilometer. Aus dem Bächle schöpfte man Wasser zur Viehtränke, zum Baden und Waschen, aber auch zum Löschen von Bränden. Trinkwasser kam aus bis zu 50 Laufbrunnen und wurde in hölzernen Wasserleitungen aus gefassten Quellen im Gewann Mösle südöstlich der Stadt herangeführt.

Glyzinien schmücken die Fassaden der teils unter Wahrung der alten Fassaden, teils völlig neu errichteten Wohn- und Geschäftshäuser an der Konviktstraße.

Wisteria adorns the façades of the residences and office buildings on Konviktstrasse. Some have preserved old façades, some were completely newly constructed.

Dans la rue Konviktstraße, des glycines ornent les anciennes façades et les nouvelles maisons d'habitation et de commerce.

In der südlichen Altstadt, die vom Zweiten Weltkrieg weitgehend verschont blieb, liegen einige der schönsten Winkel der Altstadt: die Insel mit alten Handwerkerhäusern, der Adelhauser Klosterplatz vor der barocken Klosterkirche oder die Fischerau entlang des Gewerbekanals. Auch einige der Freiburger Museen finden sich hier, darunter das Augustinermuseum im ehemaligen Augustinereremitenkloster, das zu den bedeutendsten kunst- und kulturgeschichtlichen Museen am Oberrhein zählt oder das Museum für Neue Kunst im Gebäude der ehemaligen Mädchen-Bürgerschule Adelhausen.

Spätnachmittags und abends belebt sich der Augustinerplatz und wird zur Bühne für Musikanten und Flaneure bis weit in die Nacht – nicht immer zur Freude der Anwohner.

Das Schwabentor spiegelt sich im Oberlinden-brunnen.

Schwabentor mirrored in the Oberlinden fountain.

La Schwabentor (porte des Souabes) se reflète dans l'eau de la fontaine Oberlindenbrunnen.

Rechts – Der Oberlindenhock in der Oberstadt zählt zu den beliebtesten Sommerfesten in Freiburg und bildet ein uriges Gegenstück zum edlen Weinfest auf dem Münsterplatz.

Right – The Oberlindenhock in Oberstadt counts as one of the most popular summer festivals in Freiburg and forms a rustic counterpart to the noble wine celebration on Münsterplatz.

À droite – L'Oberlindenhock dans la ville haute compte parmi les fêtes de l'été les plus en vogue à Fribourg et constitue un pendant pittoresque à la fête du vin huppée sur la place de la cathédrale.

S. 77 - Das Schwabentor, um 1250 erbaut, wurde 1901 aufgestockt. 1953/54 hat man den Aufbau bis auf das Uhrengeschoss wieder abgebrochen.

P. 77 – The Schwabentor gate was built in 1250; another storey was added in 1901. In 1953/54 construction was broken off, except for the clock floor.

P. 77 – La Schwabentor (porte des Souabes), construite vers 1250, est surélevée en 1901. En 1953/54, la construction jusqu'à l'étage de l'horloge est de nouveau abandonnée.

Die Freiburger Hexen in Aktion. Erst 1934 ersetz-
te die alemannische Fasnet in Freiburg den bis
dahin üblichen Karneval rheinischer Prägung.

Freiburg witches in action. Only in 1934 did the
Alemannic Fasnet replace the Rhenish carnival
that had been traditional until then in Freiburg.

Les sorcières de Fribourg en pleine action. C'est
seulement en 1934 que le carnaval alémanique
à Fribourg remplace le carnaval d'inspiration rhé-
nane jusque-là courant.

Das „Erzbobbele" der Blauen Narren trägt die
Stadtfarben Rot-Weiß und den Kosenamen der
eingeborenen Freiburger.

„Erzbobbele", the leader of the blue fools, wears
the town colours red and white, and the nick-
name of the Freiburg natives.

Le personnage „Erzbobbele" des fous bleus
porte les couleurs de la ville, le rouge et le blanc,
et son nom est le terme affectueux désignant
les Fribourgeois de souche.

Rechts – Das Schwabentor und Deutschlands
ältester Gasthof „Zum Roten Bären" bei Nacht.

Right – Schwabentor and Germany's oldest inn,
„Zum Roten Bären", at night.

À droite – Vue de nuit de la Schwabentor (porte
des Souabes) et de l'auberge la plus ancienne
d'Allemagne, „Zum Roten Bären" (À l'ours roux).

Entspannung im Feierling-Biergarten auf der Insel.

Relaxing in the Feierling beer garden on the island.

Moment de détente dans le bar à bière Feierling sur l'île.

Unten und S. 81 Unten – Die Stufen an der alten Stadtmauer beim Augustinerplatz sind Ruheplatz zum Sonnenbaden und Bühne zugleich.

Below and P. 81 below – The steps at the old city wall at Augustinerplatz are both a resting place for sunbathers and a stage.

En bas et P. 81, en bas – Les marches des anciens remparts sur la place Augustinerplatz (place des Augustins) servent à la fois de lieu de repos pour un bain de soleil et de scène artistique.

Von allen Umbauten weitgehend verschont blieb der hochgotische Kreuzgang des Augustinereremitenklosters, das im 19. Jahrhundert als Stadttheater und Kaserne diente und seit 1923 das Augustinermuseum beherbergt.

Largely spared from all the rebuilding, the Gothic cloister of the Monastery of the Augustinian Hermits, which served as municipal theatre and barracks in the 19th century. It has housed the Augustinian museum since 1923.

Largement épargné par toutes les constructions, le déambulatoire haut gothique du cloître des ermites de Saint Augustin servait de théâtre municipal et de caserne au 19ème siècle et abrite le „Augustinermuseum" (musée des Augustins) depuis 1923.

EXZELLENT NACH 550 JAHREN
DIE ALBERT-LUDWIGS-UNIVERSITÄT

Den Habsburgern verdankt Freiburg seine Universität, die nach Wien die zweitälteste Hochschule auf österreichischem Boden war. Der Bruder Kaiser Friedrichs III., Erzherzog Albrecht VI. von Österreich, gründete sie im Jahr 1457. Vor allem sollten hier der Nachwuchs für die vorderösterreichische

Verwaltung, aber auch tüchtige Ärzte und Theologen herangebildet werden. Im 17. Jahrhundert übernahmen auf Betreiben der Landesherrschaft, die im Sinne der Gegenreformation auf die Stärkung des Katholizismus bedacht war, die Jesuiten weite Teile der Universität.

Nach dem Übergang an Baden musste man in Freiburg um die Zukunft der Hochschule fürchten; erst 1820 sicherte Großherzog

Ludwig endgültig den Bestand der Universität, die deshalb dankbar dem Namen ihres Gründers Albrecht (lat. Albertus) den ihres Bewahrers hinzufügte und seither „Albert-Ludwigs-Universität" heißt.

Der Aufschwung der Universität kam nach 1871. Die Studentenzahlen stiegen stetig. Zum Sommersemester 1900 waren in Freiburg – erstmals im Reich – Frauen zum Studium zugelassen worden. Beim Bau

VOM BAHNHOF ZUM SCHLOSSBERG
EINMAL QUER DURCH DIE ALTSTADT

Mit dem Ausbau der Bismarckallee zur „Bahnhofsachse" und dem gleichzeitigen Rückbau des Rotteckrings, der in den nächsten Jahren zu einer Folge verkehrsberuhigter Plätze entwickelt werden soll, wurde die Altstadt bewusst nach Westen

erweitert. 1999 erhielt Freiburg einen neuen, repräsentativen Hauptbahnhof anstelle des nach dem Krieg provisorisch errichteten „Bahnhöfles". Hier verzahnt sich der öffentliche Personennahverkehr mit Straßenbahn und Bussen mit dem Fernverkehr der Bundesbahn mit IC- und ICE-Anschluss. Auch der Euro-Airport Basel-Freiburg-Mulhouse ist von hier aus mit Zubringer-Bussen erreichbar.

Die Eisenbahnstraße verbindet den 1845 eröffneten Bahnhof seit 1861 direkt mit der Altstadt, deren Ausbau zur Fußgängerzone schon 1972 beschlossen wurde. Der Wiederaufbau nach den Zerstörungen im Zweiten Weltkrieg hat das alte Straßenbild weitgehend bewahrt und zahlreiche wiederhergestellte alte Gebäude integriert, so dass die meisten Besucher Freiburgs das Gefühl haben, sich in einem keineswegs rekonstruierten, sondern historisch gewachsenen Ambiente zu bewegen.

Natürlich macht die allgemeine wirtschaftliche Entwicklung auch vor der idyllisch wirkenden Freiburger Altstadt nicht Halt: zahlreiche alteingesessene Einzelhandelsgeschäfte sind in den letzten Jahren aufgegeben worden und haben Modeketten oder Handyläden Platz gemacht.

Wichtigster Baustein der neu gestalteten Bahn-hofsachse ist das 1996 eröffnete Konzerthaus Freiburg, ein Kultur- und Kongresszentrum und feste Spielstätte des Südwestrundfunk-Symphonieorchesters. Architekt ist der aus dem südbadischen Lörrach stammende Dietrich Bangert, Berlin.

The most important element in the redesigned train station axis is the Freiburg concert hall that opened in 1996. It is a culture and convention centre and the fixed location of the Südwe-strundfunk symphony orchestra. The architect is Dietrich Bangert in Berlin, originally from Lörrach in the south of Baden.

L'élément le plus important de l'axe redessiné de la gare est la salle de concert ouverte en 1996 à Fribourg, un centre des congrès et de la culture et un lieu de concert fixe de l'orchestre sympho-nique de la station de radio Südwestrundfunk. L'architecte berlinois, Dietrich Bangert, est origi-naire de Lörrach au sud du land de Bade.

Oben – Freiburg gilt als Wohlfühlstadt auch für Radfahrer. Ein gut ausgebautes Netz von Radwegen verbindet alle Stadtteile miteinander. Nächtliche Fahrten ohne Licht und rote Ampeln kreuzende Radler gehören zum Freiburger Alltag.

Above – Freiburg is regarded as a great town, also for cyclists. A well-developed network of bike paths connect all the districts with each other. Night-time bikers and cyclists crossing despite red traffic lights are a part of everyday life in Freiburg.

Ci-dessus – Fribourg est également idéale pour les cyclistes. Un réseau bien aménagé de pistes cyclables relie tous les quartiers de la ville entre eux. Les cyclistes qui roulent de nuit sans phares et qui traversent aux feux rouges font partie du quotidien à Fribourg.

Rechts – Zwischen der Wiwilibrücke und der Stadtbahnbrücke wurde der Rundbau der Fahrradstation „mobile" eingefügt, die eine Radgarage und Serviceeinrichtungen für Radfahrer bietet. Durch den offenen Innenhof blickt man auf einen Sonnenkollektor.

Right – The rotunda of the bicycle station „mobile" was inserted between Wiwili bridge and the suburban railway bridge. It provides a garage and service facilities for cyclists. Through the open inner courtyard you see a solar panel.

À droite – Entre le pont Wiwilibrücke et le pont Stadtbahnbrücke, une station „mobile" en forme de rotonde pour cyclistes a été insérée. Elle offre un garage à vélos et des équipements de maintenance pour les cyclistes. À travers la cour intérieure ouverte, on peut apercevoir un capteur solaire.

Der große Komplex der Alten Universität, des einstigen Jesuitenkollegs mit der 1683 begonnenen Kirche, birgt einen der schönsten Innenhöfe der Stadt.

The extensive complex of the old university, a former Jesuit college with its church (started in 1683). It has one of the most beautiful courtyards in the town.

Le grand ensemble de l'ancienne université et de l'ancien collège jésuite avec l'église commencée en 1683 abrite une des cours intérieures les plus belles de la ville.

Eine gut erhaltene Häuserzeile kann man in der Turmstraße finden. Das bunte Eisenschild weist auf das „Zunfthaus der Narren" mit dem Fasnetsmuseum hin.

You can find a well-preserved row of houses in Turmstrasse. The brightly coloured iron signpost points out the „Guild of Fools" with its Fasnet museum.

On peut trouver un pâté de maisons bien conservé dans la rue Turmstraße. Une enseigne colorée indique la „maison de la corporation des fous" (musée du carnaval).

Links – 700 Jahre Baugeschichte auf einen Blick: Das romanische Schwabentor im Zentrum, vorne die barocke Universitätskirche, im Hintergrund der neubarocke Zwiebelturm der Maria-Hilf-Kirche von 1929 und das ehemalige Lycée Turenne, 1907 im Stil der deutschen Spätrenaissance als Großherzogliches Lehrerseminar erbaut.

Left – 700 years of architectural history at a glance: the Romanesque Schwabentor in the centre, in front the Baroque university church, in the background the new Baroque onion dome of the 1929 Maria-Hilf church and the former Lycée Turenne that was built in 1907 in the German late Renaissance style as a grandducal teachers' seminary.

À gauche – 700 ans d'histoire de l'architecture en un coup d'œil. La Schwabentor (porte des Souabes) romane au centre, devant l'église baroque de l'université, en arrière plan la coupole néobaroque de l'église Notre-Dame du Bon-Secours de 1929 et l'ancien lycée Turenne, construit en 1907 dans le style de la Renaissance allemande tardive comme séminaire de formation grand-ducal.

SEEPARK, NEUE MESSE UND ZMF
FREIBURGS WESTEN

Ein wichtiger Teil der städtebaulichen Entwicklung der Nachkriegszeit vollzog sich im Westen der Stadt jenseits der 1845 eröffneten Bahnlinie. Zwischen dem schon im 19. Jahrhundert aufgebauten Stühlinger und den alten Dörfern Haslach, Betzenhausen und Lehen entstanden neue Wohnquartiere, Gewerbeflächen und Naherholungsgebiete. Auf dem ehemaligen Rieselfeld, das vor über hundert Jahren zur Entsorgung der Freiburger Abwässer geschaffen wurde, und auf dem ehemaligen Gelände einer Wehrmachtskaserne, des späteren „Quartier Vauban" der französischen Garnison, sind Freiburgs jüngste Stadtteile im Aufbau und dienen als neue Heimat für die noch immer wachsende Bürgerschaft Freiburgs.

Auf ebenfalls ehemals französisch genutzen Flächen am Freiburger Flugplatz hat die Universität zu Beginn der 1990er Jahre mit dem Bau eines neuen Institutsviertels für Angewandte Wissenschaften mit Informatik und Mikrosystemtechnik begonnen. Unweit der Institutsgebäude hat die Stadt 1999 die Neue Messe eröffnet, wo nicht nur die von der Wiehre verlegte Frühjahrs- und Herbstmeß`, sondern auch internationale Ausstellungen, Konzerte und Fernsehshows wie „Wetten dass" und „Verstehen Sie Spaß?" stattfinden.

125

Oben – In einer Zeltstadt mitten in der Natur bietet das ZMF alljährlich eine einmalige Mischung aus Klassik, Pop und Jazz, Kabarett und Varieté. Nach finanziellen Turbulenzen bedingt durch die Konkurrenz im WM-Jahr 2006 erlebte das ZMF zum 25. Jubiläum 2007 einen Neustart als GmbH. Es ist eines der ältesten Festivals seiner Art in Europa.

Above – In a city of tents out in the countryside the „ZMF" tent music festival annually provides a mix of classical music, pop and jazz, cabaret and vaudeville entertainment. After financial troubles caused by having to compete with the soccer world cup in 2006, the ZMF was reborn as a limited company in time for its 25th anniversary. It is the oldest festival of its kind in Europe.

Ci-dessus – Dans une ville de tentes en pleine nature, le festival ZMF offre chaque année un mélange exceptionnel de musique classique, pop, jazz, musique de cabaret et variété. Après des turbulences financières, conditionnées par la concurrence avec la coupe du monde de 2006, le ZMF a pris en 2007 un nouveau départ en adoptant le statut d'une SARL à l'occasion de son 25ème anniversaire. Il est l'un des festivals les plus anciens de ce type en Europe.

S. 127 Oben – Das Programm des ZMF richtet sich nicht nur an Erwachsene. Auch Kinder, Jugendliche und Familien verfolgen gebannt die Auftritte in den Zelten und auf dem Freigelände.

P. 127 above – The ZMF programme is not aimed only at adults. Children, teenagers and families are also spellbound as they follow the acts inside the tents and on the open-air stage.

P. 127 en haut – Le programme du festival ZMF ne s'adresse pas uniquement aux adultes. Également les enfants, adolescents et familles regardent fascinés les scènes dans les tentes et en plein air.

S. 127 Unten – Neben dem großen und kleinen Zirkuszelt ist alljährlich das historische Spiegelzelt ein Anziehungspunkt auf dem ZMF. Zu Beginn des 20. Jahrhunderts tourten solche Zelte als mobile Tanzpaläste durch Belgien.

P. 127 below – Besides the big top and a smaller circus tent, the historical mirror tent is the central attraction at the ZMF every year. At the beginning of the 20th century such tents toured through Belgium as mobile dance halls.

P. 127 en bas – À côté du grand et du petit chapiteau, la tente historique des miroirs constitue chaque année un pôle d'attraction sur le festival ZMF. Au début du 20ème siècle, ce type de tente était utilisé pour abriter des pistes de danse mobiles à travers la Belgique.

Der ausgedehnte Seepark rund um den durch Kiesabbau entstandenen Flückigersee wurde für die Landesgartenschau 1986 gestaltet und blieb danach als Naherholungsgebiet für den Freiburger Westen erhalten.

The extensive park around Flückiger lake, which was formed by gravel quarrying, was created for the Landesgartenschau (State Horticultural Show) in 1986. It has remained unchanged as a recreational area for Freiburg's west.

Le large parc Seepark tout autour du lac Flückigersee, créé par le déblaiement du gravier, a été dessiné en 1986 pour les floralies et est ensuite resté une zone de repos de proximité à l'ouest de Fribourg.

Oben – Der Japanische Garten ist als Geschenk von Freiburgs Partnerstadt Matsujama von dem dortigen Gartenarchitekten Yoshinori Tokumoto entworfen und 1989/90 von japanischen und deutschen Gärtnern gestaltet worden.

Above – This Japanese garden, a gift from Freiburg's partner town Matsujama, was designed by a landscape gardener there, Yoshinori Tokumoto. It was laid out by Japanese and German gardeners in 1989/90.

Ci-dessus – Le jardin japonais a été offert en cadeau par la ville Matsujama jumelée avec Fribourg, conçu par l'architecte paysagiste japonais Yoshinori Tokumoto et réalisé par des jardiniers japonais et allemands.

Rechts – Die Ökostation war eine der Attraktionen der Landesgartenschau und bietet noch heute vielfältige Möglichkeiten, Natur und Umwelt praktisch kennen zu lernen.

Right – This environmental station was one of the attractions of the state horticultural show. Even today it offers numerous possibilities for getting to know nature and the environment in practice.

Ci-contre – Le centre de formation à l'environnement «Ökostation» était l'une des attractions des floralies et offre encore aujourd'hui une multitude de possibilités pour apprendre à connaître en pratique la nature et l'environnement.

Oben – Stadtgeschichte erzählen die Grabsteine auf dem Alten Friedhof in der Neuburg nördlich des Stadtzentrums, der auf das 16. Jahrhundert zurückgeht und 1683 nach dem Bau der Festung im 17. Jahrhundert neu angelegt wurde. Die barocke Michaelskapelle ist 1725 geweiht worden.

S. 134 – 1872 wurde der Friedhof in den Westen der Stadt verlegt. Das Portal und die Einsegnungshalle im Renaissancestil stammen von der Erweiterung des neuen Hauptfriedhofs in den Jahren 1894 bis 1899.

Above – These gravestones tell town history. They stand in the old cemetery at the new castle north of the town's centre, which dates back to the 16th century. In 1683 after the building of the fortress in the 17th century the cemetary was laid out anew. The Baroque Michael's chapel was consecrated in 1725.

P. 134 – In 1872 the cemetery was moved to the west of the town. The portal and the entrance hall in the Renaissance style stem from the expansion of the new main cemetery in the years 1894 to 1899.

P. 134 – En 1872, le cimetière est transféré à l'ouest de la ville. Le portail et la salle de consécration de style Renaissance proviennent de l'élargissement du nouveau cimetière principal vers les années 1894 à 1899.

Ci-dessus – Les pierres tombales racontent l'histoire de la ville dans l'ancien cimetière de Neuburg, au nord du centre-ville, qui remonte au 16ème siècle et qui a été réaménagé en 1683 après la construction des fortifications au 17ème siècle. La chapelle baroque Saint Michel est consacrée en 1725.

Im Mittelalter bildete die Schwabentorbrücke den wichtigsten Übergang über die Dreisam. Nach einem Hochwasser 1896 wurde die Brücke mit historisierender Architektur neu errichtet, Türmchen, Gitter und Denkmäler sind beim Neubau der Brücke 1974/75 wieder verwendet worden.

In the Middle Ages the Schwabentor bridge was the most important way across the Dreisam. After a flood in 1896 the bridge was rebuilt with historic architecture – the turret, bars, and monuments were used again when the bridge was rebuilt in 1974/75.

Au Moyen Âge, le pont Schwabentorbrücke constituait le passage principal au-dessus de la Dreisam. Après une crue en 1896, le pont a été reconstruit avec une architecture historisante, les tourelles, le grillage et les statues ayant été réutilisés pour la reconstruction du pont en 1974/75.

VON DER WIEHRE ZUM SCHAUINSLAND
DER SÜDEN UND OSTEN FREIBURGS

Schon vor 1000 Jahren ist die „Wiehre" erstmals in einer Urkunde genannt worden. Damals bezog sich der Name nicht auf einen bestimmten Ort, sondern auf das gesamte von Stauwehren durchzogene Gelände an der Dreisam, seit dem 18. Jahrhundert trägt der Stadtteil südlich des Flusses diesen Namen. Durch die Kriege des 17. Jahrhunderts und in der Folge durch ihre Lage im Vorfeld der barocken Festungswerke, ver-

schwand die Wiehre mehrfach vom Erdboden, erst nach der Schleifung der Festung 1744/45 konnten sich wieder feste und dauerhafte Siedlungsstrukturen entwickeln. Im 19. Jahrhundert erlebte das Gebiet einen Bauboom, zunächst als Gewerbe- und Industriestandort, dann als Wohngebiet. Heute gehört es zu Freiburgs bevorzugten Lagen. Die Musikhochschule, der Olympiastützpunkt und weitere Sportstätten prägen den Osten der Stadt,

Im Süden liegt auch Freiburgs Hausberg Schauinsland, dessen 1258 Meter hoher Gipfel zum Stadtgebiet zählt. Mit der 1936 eingeweihten Seilbahn ist er vom Stadtkern aus in kurzer Zeit erreichbar. Dem in den Bergwerken auf dem einstigen „Erzkasten" gewonnenen Silber verdankt Freiburg letztlich seine Entstehung und die günstige Entwicklung der ersten Jahre bis hin zum Bau des Münsters, der mit dem Edelmetall vom Schauinsland finanziert wurde.

Aus der Wiehre erhebt sich der Lorettoberg, der seinen Namen der 1657 geweihten Kapelle nach dem Vorbild der berühmten italienischen Wallfahrtsstätte verdankt. Die Stiftung geht auf ein Gelübde während der blutigen Schlacht von 1644 zurück. Das Gasthaus anstelle des alten Bruderhauses wurde 1904/05 gebaut.

Lorettoberg rises up above Wiehre. The mountain owes its name to the chapel (consecrated in 1657) modelled on the famous Italian place of pilgrimage. It was founded due to a vow made during a bloody battle in 1644. The inn was built in place of the old Bruderhaus in 1904/05.

Depuis Wiehre s'élève la Lorettoberg, qui doit son nom à la chapelle consacrée en 1657 sur le modèle du célèbre lieu de pèlerinage italien. La fondation remonte à un engagement pendant la bataille sanglante de 1644. L'auberge a été construite en 1904/05 à la place de l'ancien Bruderhaus.

Das „Wasserschlößle" am Sternwald gehört zu den Wahrzeichen der Wiehre. Es ist das in gebaute Architektur umgesetzte Stadtsiegel Freiburgs aus dem 13. Jahrhundert und als Verkleidung eines Hochbehälters der neuen stätischen Wasserleitung 1895/96 errichtet worden.

The „Water Castle" at Sternwald is one of the trademarks of Wiehre. It is the 13th century town seal of Freiburg converted into architecture, and was built to disguise a water tower for the new municipal pipeline in 1895/96.

Le château Wasserschlößle à Sternwald compte parmi les emblèmes de Wiehre. Le sceau de la ville de Fribourg du 13ème siècle a inspiré l'architecture de ce bâtiment, érigé en 1895/96 pour cacher un haut réservoir de la nouvelle conduite d'eau de la ville.

S. 139 Oben – Das spätere Lycée Turenne wurde 1906 als Großherzogliches Lehrerseminar nach Plänen von Regierungsbaumeister Hermann Graf in Renaissancestil erbaut. Zwischen 1954 und 1992 gingen hier die Kinder der in Freiburg stationierten Franzosen zur Schule.

S. 139 Unten – Zur überregionalen Bekanntheit Freiburgs trägt heute auch der Fußball bei, vor allem seit der Sportclub Freiburg in der Bundesliga spielt. Unter Trainer Volker Finke stieg er dreimal in die erste Liga auf. Die Querelen um den Wechsel zu Robin Dutt sind weitgehend Vergangenheit.

P. 139 above – What would later become Lycée Turenne was built in 1906 as a grandducal teachers' seminary according to the plans of the government master builder Hermann Graf in Renaissance style. Between 1954 and 1992 the children of Frenchmen that were stationed in Freiburg went to school here.

P. 139 below – Today soccer also contributes to the national fame of Freiburg, particularly since the Sportclub Freiburg played in the national league. Under the coach Volker Finke it made it into the first league twice. The disputes around the change to Robin Dutt are largely a thing of the past.

P. 139 en haut – Le nouveau lycée Turenne est bâti dans le style Renaissance en 1906 pour servir de séminaire de formation grand-ducal, selon les plans de l'ingénieur du bâtiment du gouvernement, Hermann Graf. Entre 1954 et 1992, les enfants des Français basés à Fribourg allaient dans cette école.

P. 139 en bas – Le football contribue également à la notoriété suprarégionale de Fribourg, en particulier depuis que le Sportclub de Fribourg joue dans le championnat d'Allemagne de football. Avec l'entraîneur Volker Finke, l'équipe est montée deux fois en ligue 1. Les querelles quant au changement de Robin Dutt appartiennent largement au passé.

Die 3,6 Kilometer lange Schauinslandbahn überwindet 746 Höhenmeter und wurde 1930 als welterste Personenseilbahn nach dem Umlaufprinzip eingeweiht. Die ursprünglichen Großkabinen sind 1988 durch kleinere, führerlose Kabinen ausgetauscht worden, die hier bei der Einfahrt in die Bergstation zu sehen sind.

The 3.6-kilometre-long Schauinslandbahn reaches a height of 746 metres. It was opened in 1930 as the world's first passenger cableway that worked according to the circulation principle. The original big cabins were replaced by smaller driverless ones in 1988. Here you see one entering the hilltop station.

Le téléphérique Schauinslandbahn long de 3,6 kilomètres monte à 746 mètres de haut et a été inauguré en 1930 comme le premier téléphérique au monde à utiliser le principe circulaire. Les grosses cabines d'origine ont été remplacées en 1988 par des cabines plus petites autoconductrices, que l'on peut voir ici à l'entrée dans la station de montagne.

S. 146 – Die Aufstellung von Windrädern auf der Holzschlägermatte am Schauinsland 2003 führte im Vorfeld zu heftigen Debatten.

P. 146 – The installation of wind turbines on Holzschlägermatte at Schauinsland in 2003 was initially the subject of heated debates.

P. 146 – L'installation d'éoliennes sur le terrain du Holzschlägermatte sur le Schauinsland en 2003 a donné lieu au préalable à des débats virulents.

S. 147 – Auf dem 1258 Meter hohen Gipfel des Schauinslands steht seit 1980 der nach Freiburgs langjährigem Oberbürgermeister Eugen Keidel benannte hölzerne Aussichtsturm.

P. 147 – This wooden lookout tower, named after Freiburg's long-standing mayor Eugen Keidel, has stood on the 1258-metre-high peak of Schauinsland since 1980.

P. 147 – Sur le sommet du Schauinsland culminant à 1258 mètres se trouve depuis 1980 la tour d'observation en bois, nommée d'après Eugen Keidel, qui a été pendant longtemps le maire de Fribourg.

Der noch bis 1966 bewohnte „Schniderlihof" am Weg vom Schauinslandgipfel zur alten Bergmannssiedlung Hofsgrund ist ein typisches Schauinsländer Bergbauernhaus.

Located on the road from the Schauinsland peak to the old mining settlement Hofsgrund, „Schniderlihof" is a typical Schauinsland mountain farmhouse. People lived here until 1966.

Le «Schniderlihof» encore habité jusqu'en 1966 sur le chemin du sommet du Schauinsland vers l'ancien lotissement minier de Hofsgrund est une maison minière typique de Schauinsland.

Hans Schüssele, hier in der Stube des Schniderlihofs vor der „Kunst", dem von der Küche her beheizten Kachelofen, führt durch das als Museum genutzte Bauernhaus.

Hans Schüssele inside „Schniderlihof" in front of its „artwork", the tiled stove whose fire is stoked from the kitchen. He is a guide to this farmhouse, which is now a museum.

Hans Schüssele, ici dans la pièce du Schniderlihof devant «l'œuvre d'art», le poêle de faïence chauffé par la cuisine, fait visiter la ferme utilisée comme musée.

S. 149 Unten-links – Im Besuchsbergwerk wenige hundert Meter von der Bergstation der Schauinslandbahn entfernt, erhält man einen Einblick in dieses für die Entwicklung der Stadt Freiburg so wichtige Metier.

P. 149 below left – Visitors in the mine a few hundred metres from the hilltop station of the Schauinsland cableway. Here you gain insight into this industry that was so important to the development of the city of Freiburg.

P. 149 en bas à gauche – Dans le musée de la mine, à quelques centaines de mètres de la station de montagne Schauinslandbahn, on a un aperçu de ce métier si important pour le développement de la ville de Fribourg.

S. 149 Unten-rechts – Das Besuchsbergwerk – hier der Eingang – wird von einer privaten Forschergruppe um den Freiburger Juwelier Berthold Steiber für Publikum zugänglich gemacht.

P. 149 below right – The mine is open to visitors, thanks to a private group of researchers led by the Freiburg jeweller Berthold Steiber. This is the entrance.

P. 149 en bas à droite– Le musée de la mine (ici l'entrée), est accessible au public grâce à un groupe de recherche privé autour du bijoutier fribourgeois Berthold Steiber.

Ralf Brunner (links), Jahrgang 1965, wuchs in Donaueschingen auf und lebt seit 1992 in Hamburg. Nach seinem Fotografie-Studium in Dortmund und Leipzig gewann er im Jahr 1993 mit seiner Arbeit „AIDS – Leben mit dem Tod" den renommierten Agfa/Bilderberg-Preis für Jungen Bildjournalismus. Seither hat er für wichtige Redaktionen und große Industriekunden die unterschiedlichsten Themen fotografiert. Neben klassischen Reportagen und ausergewöhnlichen Sportaufnahmen gilt Ralf Brunners Augenmerk seit mehreren Jahren auch Stadtportraits.
Seine Arbeiten waren in diversen Ausstellungen im In- und Ausland zu sehen. Ralf Brunner wird durch die Agentur „laif – Photos & Reportagen" in Köln repräsentiert.
Weitere Informationen unter: www.ralfbrunner.com

Peter Kalchthaler ist 1956 in Freiburg geboren. Schon während der Schulzeit war er als Gästeführer in seiner Heimatstadt unterwegs. Nach dem Studium der Kunstgeschichte, Germanistik, Anglistik und Volkskunde, das er als Magister Artium abschloss, wurde er wissenschaftlicher Mitarbeiter am Augustinermuseum, dessen stadtgeschichtliche Abteilung im Wentzingerhaus er mitkonzipierte und seit der Eröffnung 1994 leitet. In regelmäßigen Zeitungs- und Zeitschriftenbeiträgen, Aufsätzen und Büchern beschreibt er insbesondere die Geschichte und Architektur seiner Heimatstadt.

Literaturhinweise:

Ausstellungskatalog „friburgum – Ansichten einer Stadt",
    Augustinermuseum Freiburg 21. 10. 1995 -7. 1. 1996,
    Waldkirch 1995
Haumann, Heiko/Schadek, Hans (Hrsg.):
    Geschichte der Stadt Freiburg im Breisgau,
    Stuttgart 1992 - 96
Kalchthaler, Peter:
    Freiburg und seine Bauten, Freiburg 4.2006
Kalchthaler, Peter:
    Kleine Freiburger Stadtgeschichte,
    Regensburg 2006
Krummer-Schroth, Ingeborg:
    Bilder aus der Geschichte Freiburgs, Freiburg 1970
Mittmann, Heike:
    Das Münster zu Freiburg im Breisgau, Lindenberg 2000

Bildnachweis:

Seite 6 oben: Museum für Stadtgeschichte Freiburg
Seite 6 unten: Augustinermuseum Freiburg Inv.Nr. D 56/18
Seite 7 oben: Augustinermuseum Freiburg Inv.Nr. D 872
Seite 7 unten: Augustinermuseum Freiburg Inv.Nr. D31/13
Seite 8: Augustinermuseum Freiburg Inv.Nr. D 35/43
Seite 9: Augustinermuseum Freiburg
Seite 10: Museum für Stadtgeschichte Freiburg

Unser Verlagsprogramm

Hamburg

Alster, die – ein Alltagsmärchen
Altona von A-Z
Barmbek im Wandel
Barmbek von A-Z
Bergedorf, Lohbrügge, Vierlande, Marschlande
Eimsbüttel von A-Z
Eppendorf von A-Z
Feuerwehr-Buch Hamburg, das Große
Hamburg – Stadt der Brücken
Hamburgs Fleete im Wandel
Hamburg im Bombenkrieg –1940-1945
Hamburgs schönste Seiten
Hamburgs Speicherstadt
Hamburgs stolze Fregatten – Konvoischifffahrt im
        17. Jahrhundert
Hamburgs Straßennamen erzählen Geschichte
Harburg – von 1970 bis heute
Harburg von A-Z
Harburgs schönste Seiten
Langenhorn im Wandel
Polizei im Einsatz (Video)
Pompöser Leichenzug zur schlichten
        Grabstätte – ... St. Michaelis
Rothenburgsort, Veddel im Wandel
Winterhude von A-Z

Schleswig-Holstein

Ahrensburg – Stadt mit Adelprädikat
Bad Oldesloe
Bad Segeberg im Wandel
Eckernförde – Portrait einer Ostseestadt
Fontane in Schleswig-Holstein und Hamburg
Helgoland
Pinneberg im Wandel
Reinbek und der Sachsenwald
Sagenhaftes Sylt
St. Peter-Ording
Sylt – die großen Jahrzehnte – in den1950er-, 60er-
        70er-, 80er-Jahren
Sylt – Noch mehr Inselgeschichten
Sylt im Wandel – Menschen, Strand und mehr
Sylt prominent
Sylts schönste Seiten

Niedersachsen

Braunschweig – Löwenstadt zwischen Harz
        und Heide
Buchholz in der Nordheide
Buxtehude, Altes Land
Celle – Stadt und Landkreis
Celler Hengstparade, die
Cuxhaven
Cuxhaven – Stadt am Tor zur Welt
Göttingen
Göttingen – alte Universitätsstadt
Hadeln, Wursten, Kehdingen
Hannovers schönste Seiten
List (Hannover), die, im Wandel
Papenburg – Fehnlandschaft an der Ems
Stade, Altes Land – Märchenstadt und Blütenmeer

Nordrhein-Westfalen

Aachen – Zwischen Augenblick und Ewigkeit
Bergisch Gladbach – Schloss-Stadt an der Strunde
Mönchengladbach – Grüne Stadt am Niederrhein

Bayern

Boten aus Stein – Alte Kirchen im Werdenfelser Land,
        am Staffelsee und im Ammergau
Garmisch-Partenkirchen – Herz des
        Werdenfelser Landes
Lüftlmalerei
Mittenwald, Krün, Wallgau

Unser Programm im Internet:
www.medien-verlag.de